괴로운 사람들

발 행 | 2024년 3월 14일
저 자 | 최현식
펴낸이 | 한건희
펴낸곳 | 주식회사 부크크
출판사등록 | 2014.07.15.(제2014-16호)
주 소 | 서울특별시 금천구 가산디지털1로 119 SK트윈타워 A동 305호
전 화 | 1670-8316
이메일 | info@bookk.co.kr

ISBN | 979-11-410-7646-7

www.bookk.co.kr

괴로운
사람들

최현식 지음

CONTENT

머리말 5

제1화　역사 속 선택에 빠진 사람들

　　　　-우리들의 슬픈 승리.　　56

제2화　범죄 속 선택에 삐진 사람들

　　　　-나의 선택.　　　　　101

머리말

여러분들도 선택에 기로에 빠지시나요?

아마 많은 사람들이 다양한 선택의 기로에 빠질 것입니다.

오늘 아침은 무엇을 먹지...오늘 무슨 옷을 입고 학교에 갈 것인지...등에 대해서 말이지요

하지만 제가 이 책에서 이야기하고 싶은 것은 이런 사소한 것들이 아닌 특별한 선택의 기로 앞에 놓인 2명의 사람들을 보여주려고 합니다.

첫번째는 광주의 5.18이라는 역사 속에서 선택의 기로에 놓인 사람에 대한 이야기...

두번째는 살인사건에 대해서 선택의 기로에 놓인 사람들의 이야기를 준비했습니다.

이 책을 읽어보시고 만약 다른 선택을 했다면 어떻게 됐을 것 인지 예상을 하면서 읽어보는 것도 괜찮을 것 같습니다.

감사합니다!

제1화 우리들의 슬픈 승리

부모님은 매일매일 나에게 말하셨다.

"아들아 너는 이 무너져가는 우리 집을 다시 일으켜야 한단다…알겠지…?"

나는 부모님이 항상 하는 말을 나의 가슴속에 품으며 다른 친구들은 모여 오락실에 가서 게임을 하거나 할때 집에 와서 책상에 앉아 책을 폈다.

'오늘도 공부를 시작해볼까나…'

하지만 이런 모습들을 보고, 다른 친구들은 내가 학교에서 공부하려고 하면 책을 찢거나하며 방해를 해댔다.

하지만 그렇게 나를 괴롭혀도 나에게는 하나의 타격감도 주지 못했다.

무려 3년동안이나 친구들의 끈질긴 괴롭힘이 계속되었지만 계속 속으로 꾹꾹 참으며 공부하다 보니 드디어 학력고사일이 다가왔다.

"지금까지 했던 것처럼 열심히 해보자 실수하지 말고…차분히…"

결과는 아주 만족했다.

무려 광주에서 유일하게 학력고사 만점을 받은 고등학생이 되었다.

학교와 시에서는 내 집에 찾아와 나를 축하해 주었고, 가족들은 아주 기뻐하며 아파트며 학교에 플랑카드를 걸어 내 자랑을 마구했다.

그런 사람들의 기대를 안고, 서울대에 있는 법학과에 입학했다.

그렇게 나는 아침일찍 일어나 아빠의 승용차를 타고 서울로 향했다.

서울에 들어와 보니 광주와는 다르게 아주 높은 건물들이 많이 있었고, 사람들도 아주 많이 있었다.

몇 시간 동안 나는 내 입을 다물수는 없었다.

아빠는 내 등을 다독여주며 힘을 넣어주고, 다시 아빠는 광주로 향하셨다.

'와…여기서 서울대를 어떻게 가지…?'

고민하던 나의 앞에 어떤 택시가 경적소리를 내며 멈췄다.

"어이 학생 어디로 모실까? 딱 보니 서울은 처음온 것 같으니까 내가 데려다줄게!"

나는 택시를 타고 서울대로 향했다.

"학생 서울대 가는구나? 대단한 학생이구만"

기사 아저씨는 서울대로 가는 내내 나를 위해서 서울에 대해서 설명해주었다.

서울대에 도착한 나는 기사 아저씨에게 감사하다고 인사를 남긴 후에 서울대로 들어갔다.

'와..여기가 그 서울대구나…잘 해보자 화이팅!'

1화 다시 광주로

서울대에 처음 들어간 나는 대학교 캠퍼스 안을 돌아다니다가 간신히 법학과 사무실을 찾았다.

"안녕하세요! 학과장님 등록금 내려 왔습니다!"

학과장은 나를 보고 알아봐 주시며 내 손을

잡고 기뻐했다.

"아이고 광주 수능 1등 학생이 의대를 안가고 법학과에 와주다니 그것도 서울대로! 아주 기쁘구만!"

이렇게 학과장님이 나를 반기는 모습을 보고 나도 처음에 긴장 한 것이 다 사라졌다.

그렇게 기대하는 마음을 가지고 나는 서울대의 법학과 교실로 들어갔다.

비록 수업들은 이해가 되지는 않았다.

법학 기초부터 심화와 민법, 사법, 형법등 다양한 법들에 대해서 배우고, 외우고 하는 것은 아주 어려웠다.

하지만 그래도 같이 다니는 친구들과 이야기를 나누며 기숙사 생활을 하는 것 덕분에 그런 어려운 노고들은 다 잊어졌다.

이런 생활들이 1년이 지나고 10월 26일 우리나라는 엄청난 멘붕에 빠지게 되었다.

친구들은 나에게 라디오를 들고 달려와 뉴스를 들려주었다.

"야! 아! 내가 충격적인 소식 가져왔어! 이거

진짜야?"

나는 별로 궁금하지 않았기에 안들으려고 라디오를 갖다 놓으면 옆으로 밀었지만 친구도 포기하지 않았다.

"야⋯한번만 들어줘봐⋯진짜 정없게⋯"

결국 친구의 부탁으로 듣기로 했다.

근데 정말 라디오 뉴스의 내용은 신기했고, 놀라웠다.

"뭐? 대통령이 총에 맞아 돌아가셨다고⋯?"

나는 그 말을 듣고 지금 이 상황이 진짜인지 알아볼수 없었다.

하지만 다른 대학교 형과 누나, 친구들은 바로 밖으로 나가 민주화를 소리쳤다.

"드디어! 우리나라에도 민주화가 찾아오는구나!"

나도 얼떨결에 친구들과 나가 독재가 사라진 나라의 공기를 맡았다.

그렇게 얼떨결에 친구들과 민주화 동아리를 만들어 대한민국의 민주화를 찾기위해 매일 나가 시위를 벌였다.

주변 사람들도 그런 우리를 바라보며 함께 참여해 주었다.

서울역은 그야말로 민주화의 성지와도 같았다.

하지만 그런 우리의 바람의 끝은 짧았다.

어느날과 다를바 없이 오늘도 나와 친구들은 우리의 뜻을 널리 알리기위해 서울역으로 향했다.

"우리는 민주화를 원한다! 군부정권 물러나라!"

"대통령 직선제 도입하라!"

"시민이 주인이 되는 나라를 만들어라!"

하지만 우리들의 바람은 현실에서는 이루어지지는 못했다.

갑자기 어느 군인집단들이 서울로 쳐들어와서 서울을 공격했다.

그 소식에 서울 시민들은 더 화가 나게되고, 다시 한번더 서울역 광장으로 나가서 시위를 했다.

우리랑 비슷한 생각을 하는 사람들이 많이 있었는지 서울역 광장은 다시 시위하는 사람들로 채워졌다.

"우리는 또 다시 군부독재를 원하지 않는다!"

다시 한번 소리를 쳤지만 그 소식을 들은 군인 집단은 계엄령을 선포하여 시위하는 대학생들과 시민들을 탄압하기 시작했다.

나는 그런 상황들에 두려워 친구들에게 대학교에 있자고 말했다.

하지만 친구들은 절대 물러나지 않았다.

오히려 더 겁이 없는 표정으로 밖으로 나갔다.

나는 친구들을 막기위해 가는 길 마다 그들의 앞을 막았지만

"야! 야! 늦는다고…비켜…빨리!"

라며 나를 밀어내고 서울역으로 향했다.

결국 친구들에게 강제로 끌려나가 서울역 광장으로 갔다.

하지만 전과는 다르게 서울역 광장 앞에 바리케이트가 쳐져있었고, 그 뒤에 군인들이 탱크와 총을 들고 준비 상태로 서있었다.

나는 그 모습에 더 당황해서 친구들의 옷을

끌어당기며 밀었다.

"야…야…이제는 가야돼…총 쏘는거 아니
야…? 너 죽어…그러면…"

하지만 설득이 먹히지 않았다.

결국 군인들은 대장의 명령에 일제히 사람들
을 향해 총을 쏘았다.

"아아아아악! 아아!"

사람들의 비명소리와 함께 사람들은 아비규환
이 되어서 총에 맞지 않게 뒤로 달려갔다.

나도 친구들과 함께 총에 맞지 않게 서울역
광장에서 최대한 멀리 달려갔다.

하지만 사람들이 너무 많아 앞이 제대로 보이
지 않았고, 결국은 넘어졌다.

정신을 차리고 다시 달리기 위해서 일어나보
니 내 앞에 몽둥이를 들고있는 군인이 나를
바라보고 있었다.

군인은 그 몽둥이를 나를 향해 힘껏 내리쳤
다.

'아…이게 내 마지막인가…이렇게 내 꿈 이루
지 못하고 죽다니…엄마, 아빠…죄송해요…'

나는 죽음의 두려움에 눈을 감았다.

몽둥이가 내 몸을 누르는 듯한 강한 압력이 느껴졌다.

하지만 나는 죽지는 않았다.

'어? 이게 어떻게 된거지? 어떻게 산거지? 난 분명…몽둥이를…'

일어나보니 내 위에 피 묻은 시체 한 구가 놓여 있었다.

그 시체는 움직이더니 나에게 귓속말로 말했다,

"야…어서 튀어…빨리…달리라고…"

그 뒤로 아무 말도 들리지 않았다.

겁에 질린 나는 앞만보고 달려갔다.

잠깐 멈춘 뒤 돌아본 서울역 광장은 그야말로 충격이었다.

풀들이 빨간 피로 다 물들어 있고, 자동차가 다니는 거리에는 사람들의 시체로 가득 차 있었다.

나는 그 모습에 충격을 받고 놀랐다.

이 일로 서울대는 무기한 휴교령이 선언되고,

나는 서울대에서 나와 광주로 내려갔다.

광주에 내려간 나는 오랜만에 가족들을 만나기 위해 집으로 향했다.

"엄마…아빠…저 왔어요…오랜만이네…잘 있었어?"

부모님은 무척 수축해진 나의 모습을 보고 눈물을 흘리시며 안아주었다.

"아이고…우리 아들…이렇게 수축해지고…어떻게 해…괜찮지?"

나는 아빠의 붉은 눈시울을 바라보며 고개를 끄덕였다.

엄마도 나를 보며 걱정을 해주었다.

나는 부모님에게 말했다.

"아빠, 엄마… 여기는 아무 일도 없지? 여기는 괜찮지?"

"어…그렇게 좋은 분위기는 아니야…광주 5.18 광장에서 시민들이 시위하고 있더라…"

나는 아빠의 말에 아빠에게 신신당부 했다.

"아빠! 아빠는 저런 시위 하면 안돼! 알았지?"

아빠는 당황스러운 표정으로 고개를 끄덕였다.
아빠의 답을 듣고 나는 문을 열고 급하게 광
장으로 달려갔다.

정말 광장에는 많은 사람들이 플랭카드를 들
고 큰 소리로 외치고 있었다.

"계엄령을 철폐하라!"

"군사정부 물러가라!"

나는 또 다시 서울처럼 광주도 피의 광장이
될까봐 시위를 하고있는 곳에 가서 확성기로
광주 시민들에게 말했다.

"광주 시민 여러분들 여러분들을 위해 조언하
겠습니다! 지금 그렇게 시위하시면 목숨이 위
험해 질 수 있습니다…지금이라도 그만하시는
것은…어떠신가요…?"

내 말을 들은 광주 시민들은 무시하고 한명도
그 자리에서 이탈하지 않았다.

"저기…요…더 하시면 총에 맞으신다니까요…
죽을 수도 있다니까요…"

내가 계속 시위를 하지말라고 큰 소리로 이야
기하자 옆에 있던 어느 한 아저씨가 내 확성

기를 뺐어가셨다.

"학생…우리 걱정해주는 것은 너무 고맙지만…우리도 알아 계속하면 총에 맞아 죽는다는거…하지만 그래도 우리들이 이 시위를 하는 이유는 나를 위해서가 아니라 우리의 미래를 위해 하는거다! 하기 무서우면 자네는 빠지게나!"

아저씨의 말을 듣고 나는 확성기를 두고 그 자리에서 나왔다.

'난 알려줬으니까…내 탓은 아니야…'

집에 돌아온 나는 내 방에 들어와 잠에 들었다.

그날 새벽 한밤중에 시끄러운 소리가 나 나와 가족들은 잠에서 깨서 불을 켰다.

'아이…이게 무슨 소리야…한밤중에…'

창문을 열어본 나는 깜짝놀라 창문을 다시 닫았다.

그 소리에 부모님과 동생들은 내 방으로 달려왔다.

"무슨 일이야? 왜 창문을 갑자기 닫고 그

래?"

나는 벌벌 떠는 모습으로 창문을 가리켰다.

"저기…창문 봐봐…"

창문 밖에는 군인들이 타고있는 탱크와 헬기, 그리고 총을 들고있는 군인들과 트럭들이 광주의 길거리에 총집합하고 있었다.

'헐…벌써…이렇게…빨리…?'

다음날 아침 일어나자마자 사람들은 광주시내로 나갔다.

시내에는 군인들이 진을 치고 총을 들며 서있었다.

군인들은 확성기를 들고 광주 시민들을 향해 경고했다.

"광주 시민들에게 알린다! 빨갱이가 되고 싶지 않다면 지금 당장 시위를 멈춰라! 이건 경고가 아닌 명령이다!"

2화 10일동안의 봉쇄

군인들의 경고에도 시민들은 물러서지 않았다. 오히려 더 강하게 나왔다.

시민대표 형도 이에 질세라 확성기를 들고 군인들에게 외쳤다.

"야! 군인들아! 우리는 절대로 너희들에게 굴복하지 않을거다! 각오해라!"

시민대표 형의 도발과 동시에 시민들은 준비한 플래카드를 높이 들어올렸다.

"전두환은 물러나라!"

"계엄령 철폐하라!"

나는 형에게 다가가서 몰래 말했다.

'형…군인들이 화가 나서 저희를 공격하지는 않을까요?'

형은 고개를 좌우로 흔들었다.

'아니! 저 군인들은 절대로 우리를 향해서 총 안쏴! 내가 장담하는데 말이야! 믿어!'

하지만 서울역에서 총을 쏘는 군인들을 봤었던 나는 형을 흔들며 말했다.

"아니에요…형…서울에서는 군인들이 총을…"

하지마 형은 내 입을 막고는 확성기를 들고 소리쳤다.

"자! 여러분 우리 군인들을 밀고 앞으로 나아

갑시다!"

형 말에 시민들은 플랭카드를 들고 태극기를 들고 군인들을 향해 걸어갔다.

"호헌철폐! 독재타도!"

군인들은 시민들이 점점 앞으로 나아가도 총을 쏠 기미도 보이지 않고, 방패로 길만을 막고 있었다.

'정말…이번에 광주군인들은 시민들에게 총 안쏘려나…'

그래도 아직은 불안한 생각이 들어서 그 광장에서 자리를 뜨지 못했다.

그렇게 시민들은 계속 앞으로 가고, 군인들은 서로 자리를 지키는 신경전이 계속되었다.

군인들과 시민들의 거리가 불과 10걸음 밖에 남지 않았을때 대장은 큰 소리로 외쳤다.

"타격을 향해 발사!!"

대장의 큰 소리에 군인들은 총을 시민들에게 조준하여 발사했다.

총소리가 날때마다 광장에 나와있는 시민들은 총에 맞아 죽어갔다.

총소리가 30분동안 나고 광장은 시체가 산처럼 쌓여있었다.

그리고 방패뒤에 준비하고 있던 나머지 군인들이 몽둥이와 총을 들고 남은 시민들을 학살했다.

"으아아아악! 살려줘! 살려달라고!"

"제발… 살려주세요… 제발… 제발요…"

시민들은 군인들에게 무릎을 꿇으면서 까지 살려달라고 빌었지만 군인들은 자비없이 총을 쏘고, 몽둥이로 팼다.

그리고 몇몇 사람들은 차에 강제로 실어 어딘가로 끌고갔다.

나는 서울보다 더 잔인한 군인들과 광장의 모습을 보고 놀랐다.

살아남기 위해서 급히 광장에서 멀리 떨어지기 위해 몰래 조심히 군인들을 피해 갈때 저 멀리에서 익숙한 누군가가 보였다.

'아니… 저 녀석은 저기서 뭐하고 있는거야…?'

내가 가지 말리고… 쳐다도 보지마라고 조언을

했는데도 동생이 거리에 있었다.

당황한 나는 어쩔 줄 몰라하며 다리를 벌벌 떨며 왔다갔다 거렸다.

그 순간 동생 뒤로 무장한 군인이 동생을 향해 총을 겨누고 있었다.

"야! 숙여! 빨리!"

하지만 동생은 내 말을 듣지 못했는지 그 자리에서 움직이지 않았다.

어쩔 수 없이 바로 동생에게 달려가 동생을 보호했다.

그 군인이 쏜 총은 내 어깨에 박혔다.

순간 따끔한 느낌이 들었지만 참고, 깜짝놀란 여동생을 안고 집으로 향했다.

여동생은 업히고, 내 어깨에서나는 피를 보고 놀라 나에게 물었다.

"오빠… 괜찮아…? 여기 피나…"

나는 여동생에게 웃으며 말했다.

"오빠는 괜찮으니까… 우리 어서 집으로 가자…! 근데 나오지 말라니까 왜 나와서 이런 일을 만들어!"

"오빠…미안…마트에 심부름 가다가 사람들 소리가 들려서…그랬어…미안…오빠…"

여동생은 아주 놀랐는지 집까지 가는 내내 내 등에서 울기만을 했다.

집에 도착한 나는 여동생을 문 앞에 내려놓고, 다친 곳에 가기 위해서 병원으로 갔다.

병원 앞은 울고있는 사람들로 가득차 있었다.

병원 안에는 머리에 피 흘리는 사람들과 생사를 오가는 사람들, 한 곳에는 시체들이 가득차 있고, 그 곳에서 가족과 친구들을 찾으려는 사람들이 있었다.

그야말로 아주 끔찍했다.

간호사는 침대에 앉아있는 내 어깨를 보더니 마취를 시켜주고, 어깨에 있는 총알을 빼주었다.

"환자 분 한동안은 어깨에 무리 주지 마시고, 이 끔찍한 현실이 끝날 때 까지 살아 남으시기를 바라겠습니다! 행운을 빕니다!"

병원에서 나와 다시 광장에 돌아가보니 많은 시민들이 바닥에 있는 시신들을 치우고, 군인들은 다시 돌아갔다.

시민들은 다시 모여서 긴급 회의시간을 가졌다.

나도 광주 시민으로써 회의에 참여했다.

시민들은 너도나도 회의 장소인 전남도청의 대회의실에 모였다.

"저희 이제 어떻게 해야하나요? 군인들이 총을 쏘고, 몽둥이로 사람들을 패는데요… 어떻게 해야하죠…?"

사람들은 모여 군인들이 선량한 사람들을 죽이는 모습에 충격을 받아 아무 말도 하지 못했다.

나는 손을 들고 사람들에게 말했다.

"저기… 제가 법을 공부한 사람으로써… 이런 상황을 이겨내려면 우리 모두 힘을 먼저 모아야 한다고 배웠습니다! 저희도 조직을 만들어서 군인들에게 대항해 보는 것은 어떨까요?"

내 말에 사람들은 다시 모여 조직을 짜기 시작했다.

조직을 짜던 중 시민들은 대표에 나를 추천했

다.

"왜 저를…저는 처음에 광주에 올때도 하지 말라고 했었잖아요…근데 왜 그런 저 한테 이런 높은 자리를…"

"그랬었죠…처음에는…하지만 이제는 당신같은 분이 필요합니다! 저희 시민대표 자리를 맡아주세요!"

나는 얼떨결에 광주 시민들의 대표가 되었다.

"저를…대표로 뽑아주셔서 감사합니다…제가 광주의 시민들을 위해 열심히 하겠습니다!"

일단 나는 시민들과 함께 거리로 나가 시위를 시작했다.

다시 플래카드를 든 시민들은 광장에서 출발하여 거리를 걸어다니며 시위를 계속했다.

처음에는 100명으로 시작했지만 2시간이 지나 다시 전남도청으로 돌아오자 시민들이 1만명이 넘었다.

나는 광장 앞에서 확성기를 들고 모인 사람들에게 말했다.

"여러분들 저희들을 믿고 여기까지 따라와주

셔서 감사합니다! 저희는 꼭 이길 것 입니다!
우리를 공격하는 군인들에게 그리고 이 나라
를 빼앗은 전두환 패거리들에게 우리의 힘을
보여줍시다!"

나의 말에 사람들은 플래카드를 들고 소리를
질렀다,

"와아아! 우리의 힘을 보여주자! 우리는 할 수
있다!"

옆에서는 시위에 참여하지는 않았지만 식당
주인과 주부들이 나와 주먹밥을 만들며 시위
하는 사람들을 챙겨주었다.

"여러분들 주먹밥 드시면서 하세요! 배고프실
텐데…화이팅입니다!"

시민들은 밥을 받아 먹고, 힘을 내며 더 열심
히 시위에 참여했다.

사람들의 환호소리를 들은 군인들은 바로 탱
크와 차에 군인들을 이끌고, 시위장소로 다가
왔다.

다시 광장 앞에 가드를 친 군인들은 총을 들
고 사람들을 위협했다.

그리고 확성기를 들어 경고했다.

"계속 이러시면 저희는 공격할 수 밖에 없습니다! 어서 집으로 들어가세요! 어서요! 마지막 기회입니다! 집으로 들어가세요!"

전에 정말 총으로 쏘고, 몽둥이로 때려죽이는 모습들을 보아 겁을 먹을만 하지만 피하지 않았다.

나는 사람들의 겁이 없는 모습에 용기를 얻어 군인들에게 소리쳤다.

"우리들은 절대 뒤로 가지 않을 것이다! 우리에게 겁을 주지 말거라! 우린 너희들을 이길것이다!"

군인들은 다시 총과 몽둥이를 들고, 사람들을 향해 달려갔다.

"이번엔 다 죽여! 아무도 살려보내지 마라! 어서 시작해!"

사람들은 전보다는 달라졌다.

군인들이 총과 몽둥이를 들고 달려와도 아무도 겁을 먹고 튀지 않았다.

나도 이번만큼은 대표로서 가장 앞에서 확성

기를 들고 소리쳤다.

결국 많은 사람들이 군인들에 의해 맞아죽고, 총 맞아죽어갔다.

나도 군인이 휘두른 방망이가 머리에 정통으로 맞아 피를 흘리며 쓰러졌다.

'아이…여기가 어디야…아우 아파라…으윽…'

정신을 차려보니 나는 어딘가의 빛이 보이지 않는 검은 방에 몸이 묶여있었다.

여기가 어디인지 내가 왜 묶여있는지 알아보려고 몸을 움직였지만 움직이기 힘들었다.

그때 인기척을 들었는지 누군가가 방문을 여는 소리를 들었다.

"자네 일어났구만…대단하군…그렇게 일찍 정신을 차릴줄은 몰랐지만…"

나는 놀라며 보이지않는 누군가에게 소리쳤다.

"누구야! 너! 왜 나를 이 방에 나를 가둔거야!?"

그 사람은 갑자기 큰 소리로 웃더니 깜깜한 방의 전등을 켰다.

갑자기 밝아진 방에 놀라며 서서히 눈을 떠서

그 사람을 쳐다보았다.

"너…정말 누구야…? 누군데…나를…정체가 뭐냐고!"

그는 나를 빤히 쳐다보며 말했다.

"나…? 나는 뭐 모르겠지만 안기부에서 일하는 사람이다. 뭐 정부의 명령을 받고, 광주에서 일하고 있지. 자네도 원래는 죽었어야 했어"

"근데…왜 나를 안죽였지…? 왜…?"

그는 파일을 꺼내며 말했다.

"너가 죽기에는 너무 아까운 인재야…수능 만점자를 이렇게 죽이는건 아깝지…내가 시키는 일을 한다고 약속한다면 내가 살려주지!"

하지만 나는 고개를 저었다.

"아니…나는 사람들을 죽이는 야만인과 이야기하지 않아! 그냥 나를 죽여라! 그냥 죽이라고!"

그는 웃으며 무전기를 키며 말했다.

"야! 불러와! 그 감옥에 있는 여자애 빨리 데려와!"

그 말에 검은 양복을 입은 남자는 감옥으로 향해 어느 여자애의 머리를 끌고 왔다.

그녀는 끌려가지 않으려고 소리를 질렀다.

"야아아악! 나를 어디로 데려가는 거야!"

나는 그녀와의 눈이 마주치고, 깜짝 놀랐다.

"야…! 너는 왜 또 밖에 있어? 집에 있으라고 했지!"

알고보니 그녀는 내 여동생 이었다.

여동생은 나를 보고 무서웠는지 울음을 터뜨렸다.

그는 내 여동생을 수상한 의자에 앉혔다.

"너! 나랑 일을 하지 않는다고 하면 이 여자애는 여기서 죽는다! 너의 선택에 이 여자애의 목숨이 달렸어! 알겠냐…?"

나는 아무 말도 하지 못하고, 고민에 빠졌다.

'아니…왜 쟤는 나오지 말라고 했는데…왜 또 밖에 있어서…어떡하지 진짜…'

내가 너무 조용히 앉아 아무 말도 하지 못하자 마이크를 눌렀다.

마이크를 누르자 수상한 빛이 번쩍 거리더니

여동생의 비명소리가 방을 가득 채웠다.

여동생은 많이 따갑고, 아픈지 많이 아파보였다.

"왜 내 동생한테 이러는 거야? 동생은 아무 죄 없잖아! 할거면 나한테 말해!"

그는 종이를 나에게 건넸다.

"말했잖아! 답답하게 왜 그래 만점자가…그냥 나랑 일하면 풀어준다니까! 어서 이 종이에 싸인해!"

나는 동생을 지키기 위해서 펜을 들고 종이에 싸인을 했다.

"자! 이제 어서 내 동생 풀어줘!"

내 말에 그는 검은 양복을 입은 남자에게 손짓을 주자 그는 바로 의자로 향해 의자에서 동생을 풀어주고, 방을 나갔다.

동생은 걱정스러운 눈빛으로 나를 보며 말했다.

"오빠…괜찮아…? 금방 나오는거지?"

"어 오빠 금방 나가니까 걱정하지 말고 집에 먼저 가있어! 알았지?"

동생은 내 말에 안심을 하고 그 방을 나갔다.

동생이 나가자 그는 나에게 한 검은 가방을 건냈다.

"이 가방을 열어보게나"

나는 수상한 검은 가방을 떨리는 마음으로 조심히 열었다.

가방 안에는 무전기 하나와 여러개의 도청기가 들어있었다.

"이거를 가져가서 너희 시민들의 회의장에 설치하도록 하고, 매일 회의내용이나 정보들을 무전기에 이야기하도록 해! 알겠지?"

나는 떨리는 눈으로 바닥과 그를 번갈아 보았다.

그런 나의 모습을 본 그는 책상을 탁 치며 소리쳤다.

"야! 알겠냐고! 왜 알겠다고 말을 못해? 너 계속 그러면 너의 여동생 다시 고문한다!"

여동생을 데리고 협박하는 그를 막을 수는 없어서 어쩔수 없이 알겠다고 답했다.

마음에 들었는지 그는 나를 데리고 밖으로 나

왔다.

"잘 하도록 해! 이만 가 어서!"

나는 터덜거리며 전남도청 대회의실로 향했다.

내가 전남도청에 도착하자 시민들은 나를 보며 말했다.

"대표님 괜찮으세요? 군대에 끌려가셨다고 들었습니다…"

나는 시민들을 보며 괜찮다고 걱정 하지 말라고 말했다.

하지만 시민들은 그래도 내 옆에 다가와서 나에게 말했다.

"뭐 숨기는거 있죠…? 딱 그런 표정이신데요…"

나는 숨키려고 했지만 매시간 마다 내 옆에서 추궁을 하자 결국 대회의실에 앉아 사실대로 말했다.

"안기부장이 나에게 왔어요…무전기와 도청기를 주며 보고하라고요…여동생을 데리고 협박을 하니까…그래서 어쩔 수 없이 그의 말에 승낙했어요…믿음을 깨서 죄송합니다…"

시민들은 나의 어깨를 두드리며 말했다.

"아니에요…이렇게라도 사실을 말해주셔서 감사해요…대표님 우리 다시 열심히 해보자고요!"

시민들의 그런 모습에 용기를 얻은 나는 바로 새 작전을 설명했다.

"저희도 이제부터 무기들고 군인들에게 대항합시다! 근처 경찰서의 무기고를 털어서 무기를 만들죠!"

나의 말에 시민들의 갈렸다.

"아니 그래도 우리는 평화적 시위를 하는 것이 원래 목표 아니었나요?"

"아니 그래도 그 군인들 때문에 우리의 가족들과 친구들이 죽어가고 있다고요…그건 어떻게 외면 가능하세요?"

시민들이 자신의 의견들만 내세워 싸우자 나는 손을 벌리며 재재했다.

"그럼 반대하는 분들도 있으니까 저희는 민주주의 국가이니 다수결의 원칙대로 투표나 합시다!"

투표결과 모든 시민들이 찬성을 했다.

"저희 이제 군인들에게 매운맛을 보여줍시다!"

시민들은 힘을 다지며 근처 광주 외지의 경찰서로 향했다.

혹시 경찰들과의 충돌이 있을수도 있어 무기를 챙겨갔지만 다행히 경찰들이 경찰서에 있지 않았다.

손쉽게 경찰서의 무기고까지 향해 총과 수류탄등 여러 무기와 방어도구를 챙겼다.

다시 광주로 돌아간 시민들은 군대에서 총과 수류탄을 사용해 본적 있는 사람들에게 제공했다.

그리고 다시 마음을 다잡고, 시위를 했다.

"우리들은 이제 무기를 가지고 있습니다! 이제 군인들은 두렵지 않습니다! 계속 앞서 나갑시다! 우리의 힘을 보여줍시다!"

그리고 나는 무전기에 말했다.

'저희 전남도청 앞에서 모여 시위 할 예정입니다! 저는 말했습니다!'

안기부장은 바로 부대에 연락을 했다.

"지금 바로 전남도청 앞으로 가서 폭도들을 공격하라!"

군인들도 안기부장의 명령에 탱크와 군인들을 이끌고, 전남도청으로 향했다.

전남도청 앞에 도착해 진을 친 군인들은 깜짝 놀랐다.

"야! 이게 뭐야? 왜 언제부터 시민들이 총을 들고 무장을 하고 있었지?"

군인의 말에 깜짝 놀란 안기부장은 나에게 무전기로 연락을 했다.

"야! 너 이 자식 머리좀 사용했구만…하지만 너의 그 잔머리 때문에 너는 곧 슬퍼 울것이다!"

군인들은 다시 자신의 부대로 돌아갔다.

시민들은 처음으로 이룬 첫 승리에 기뻐하며 파티를 했다.

안기부에서는 결국 최후의 통첩을 선고했다.

"야! 동서남북 최전방에서 광주를 고립시켜 한명의 사람이 나가는 순간 너희들의 머리에

구멍이 날 거니까 각오하고!"

그 사실을 모르는 나는 집에 가서 가족들을 챙기고, 노란 미니 버스에 탔다.

"저는 곧 뒤따라 가겠습니다! 먼저 버스 타고 광주를 벗어나십시오! 알겠죠?"

가족들은 노란 미니 버스를 타고 광주를 벗어났다.

"오빠 제대로 빠져 나올 수 있겠죠?"

걱정하며 노란 미니 버스는 광주를 빠져나갈 준비를 했다.

하지만 광주의 외곽에는 군인들이 모여 길을 막고 있었다.

그 버스를 발견한 군인은 본부에 연락을 날렸다.

"발견했습니다! 노란 미니 버스가 나오고 있습니다! 어떻게 할까요…?"

안기부장은 그 군인에게 명령했다.

"쏴라! 다 사살해라!"

군인은 당황했지만 그래도 상부의 명령이었기에 망설임 없이 그 버스를 향해 총을 발사했다.

그 버스의 타이어는 총에 의해 터져 중심을 잃고, 돌에 박혀 전복이 되었다.

군인은 그에 멈추지 않고, 그 버스에 다가가 안에 있는 승객을 향해 총을 쏘았다.

그리고 죽지 않은 승객은 납치해 데려갔다.

그 소식을 들은 나는 급히 사고가 일어난 곳으로 달려갔다.

"어디에요? 어디?"

찾아보니 정말 버스에는 나의 가족들과 다른 사람들이 전부 죽어있었다.

가족들이 죽은 이유가 나 때문이라는 죄책감 때문에 나는 한 자리에 앉아서 슬퍼했다.

옆에 있던 시민들은 나에게 힘을 내라며 말하기도 했다.

하지만 가족을 잃은 슬픔이기에 그렇게 쉽게 사라지지 않았다.

오늘 만큼은 일찍 들어가 쉬고 싶었기에 가장 먼저 회의실에서 나가 집으로 향했다.

집에 들어가 방에 들어가 쉬려고 침대에 누웠

지만 계속 지금은 없는 가족 생각이 너무 났다.

다음날 아침 어디에선가 나는 시끄러운 소리에 깨어난 나는 창문 밖을 바라보았다.

"어…? 이게 뭐지…?"

잠깐 피곤해서 헛것을 본 줄 알고 눈을 비볐지만 하늘에서 계속 종이가 내려왔다.

더 자세히 바라보니 헬기에서 누군가가 종이를 뿌리고 있었다.

밖에 나가 더 자세히 보기 위해 하늘을 바라보았을 때 내 얼굴에 그 종이가 떨어졌다.

"어…마을 앞에서 교통사고…폭동의 가족들 사망…"

그 신문의 사진을 자세히 보니 내 가족들이 찍힌 사진이였다.

나는 분노하며 그 신문을 만든 신문사로 찾아갔다.

"어이! 야기 이 신문을 작성한 사람이 누구야…? 빨리 불러와!"

그러자 옆 방에서 어느 한 기자가 나왔다.

"네 무슨 일이시죠..? 제가 썼는데요…무슨 문제라도 있나요…?"

나는 신문을 그에게 던지며 소리쳤다.

"지금 당장 이 소식 거짓말 이라고 사과 기사 작성하세요! 어서요!"

"대체…왜…무슨 근거로 거짓말 이라고 하시나요…? 그리고 사과하면 제 기사인생은 끝나요! 그니까 제 인생을 위해서라도 절대 안됩니다!"

나는 그 기자의 말에 너무 화가 머리 끝까지 차올라 문을 발로 차고 욕을 하면서 나왔다.

그리고 대회의실로 향해 시민들에게 말했다.

"우리 이 신문을 만든 신문사에 복수를 합시다! 이놈들이 우리를 보고 폭동을 일으킨다고 말하고 있습니다! 가만히 있으시겠어요? 이런 모욕감을 주는데!"

내가 준 신문을 읽은 시민들은 모두들 화가 나 그 신문사 앞으로 향했다.

시민들은 신문사 앞에서 확성기를 들고 소리쳤다.

"신문사의 기자들은 당장 광주 시민들에게 사과하는 기사를 올리고, 편집국장은 옹호 기사를 작성한 기자들을 해고시켜라! 이게 기자들이 할 수 있는 일인가?"

아주 열심히 큰 소리를 내면서도 아무도 안나와 사과 한마디 커녕 아무 말도 하지 않은 것에 분노하여 옆 식당에 있는 휘발유가 담겨져 있는 통을 신문사에 던졌다.

펑 소리가 나고, 신문사는 불에 뒤덮여 검은 연기가 앞을 가렸다.

건물 안에서는 많은 사람들이 고함을 지르며 허겁지겁 움직였지만 나온 사람들은 없었다.

"그니까 누가 광주 시민들에게 거짓 뉴스를 작성하래! 진짜 어이없네… "

그리고 다시 플래카드를 들고 도청 앞에서 시위를 계속 했다.

이런 시민들의 모습에 화가 난 안기부장은 상부에게 연락을 받았다.

"야! 대체 언제 이 일을 처리할꺼야…? 바로 바로 처리하지 못해…?"

안기부장은 군인들에게 연락해 광주에 있는 모든 탱크와 군인들을 광주 밖으로 집합시키라고 명령했다.

광주에 있는 모든 군대들이 광주의 외지에 모이자 안기부장은 군인들에게 말했다.

"야! 군대들은 모두들 잘 들어라! 혹시 여기 자기가 헬기를 몰수 있는 군인 있나?"

안기부장의 말에 군인들은 웅성웅성 거리고 있을때 어느 한 군인이 손을 들었다.

"저…요! 제가 공군 출신이라…헬기 운전은 10번 이상 해봤습니다!"

안기부장은 고개를 끄덕이며 헬기의 열쇠를 건네주었다.

"자네는 이 헬기를 운전시키게 그리고 내가 명령하면 헬기를 이끌고, 광주 상공으로 출발해!"

그리고 안기부장은 각 부대의 대장들에게 무전기를 건네 주었다.

"자! 그리고 마지막이네! 내일 밤이 마지막 광주 시민들과의 최후의 결전 날이 될걸쎄! 내일 밤 까지만 참으면 이 광주에서 벗어나 집으로 돌아가고, 국가에서 우리에게 포상을 내릴것이네 화이팅하지!"

나와 시민들도 내일 밤을 기점으로 최후의 결전을 펼쳤다.

"저희 내일이 우리들의 마지막 결전입니다! 우리의 희생은 모든 사람들이 기억해 줄 것입니다! 우리나라에 다시 민주화의 꽃이 피기까지 화이팅 합시다."

그리고 최후의 마지막 날이 다가왔다.

시민들은 새벽 일찍 집에서 나와 약속한 시간에 전남도청과 전일빌딩에서 만났다.

절반은 전남도청 건물에 숨고, 절반은 전일빌딩의 최상층에 숨어 군인들이 오기를 기다렸다.

그리고 나머지 시민들은 버스와 택시 등을 가지고 나와 광장에 진을 치고 그 뒤에 태극기를 들었다.

군인들도 아침 일찍 군대 자동차를 끌고 전남도청 앞에 있는 광장으로 향했다.

"아아! 광주에 계시는 모든 분들에게 말합니다! 지금 집 안에 계시는 모든 분들은 집밖으로 나오지 마십시오! 총 소리가 들려도 절대로 집 밖으로 나오지 마십시오! 나오면 폭도들로 간주하고, 모두들 죽이겠습니다!"

시민들도 그에 맞서 확성기를 들고 외쳤다.

"시민 여러분들 오늘이 광주의 마지막 날이 될 것입니다! 여러분들의 적극적인 지지가 필요합니다! 적은 시민이라도 저희의 시위에 동참해 주시기를 부탁드립니다!"

시민들과 군인들의 신경전은 엄청났다.

이윽고 시민들이 준비한 애국가가 라디오에서 흘러나왔다.

애국가가 흘러나오자 군인들과 시민들 모두 가슴에 손을 올려 애국가를 떼창했다.

4절까지 떼창 한 이후 나는 안기부장이 건네준 무전기에 대고 소리쳤다.

"야! 안기부장! 우리는 너희들이 뭐라하든 도망치지 않을거다! 오늘 각오해라 너희들은 절대로 우리를 이기지 못 할 것이다!"

내 말에 더 화가 난 그는 군대에 통하는 무전기에 외쳤다.

"야! 모든 부대에 알린다! 오늘 여기에 있는 모든 광주 시민들 다 죽이기 전에는 퇴근할 생각 일도 하지마! 모두들 진격!"

군인들이 총과 칼을 들고 시민들에게 향하자 시민들은 전보다 더 큰 목소리로 원하는 것을 외쳤다.

군인들이 앞에 있는 시민들에게 총을 겨누기 시작하자 전일빌딩에 있는 잠복해 있던 시민들이 군인들에게 총을 쏘기 시작했다.

군인들은 그에 깜짝 놀라 섣불리 전남도청 앞으로 나아갈 수 없었다.

"부장님…어떻게 해야할까요…? 시민들의 반발이 너무 거셉니다! 지금 총을 쏘고 있어서…이대로 가면 고지 선점한 시민군들에게 질 것입니다! 그리고…전남도청에 있는 시민들도 전보다 더 가격하게 시위에 참여하고 있습니다!"

안기부장은 사령관의 결과보고를 듣고 특별하

게 선정한 헬기 부대에 연락을 걸었다.

"야! 지금 당장 헬기에 대원들 태우고, 전남도청 하늘 위로 운전해서 와! 지금 당장 출발!"

헬기 운전병은 군인들을 태우고, 광주 전남도청으로 출발했다.

하늘에 도착한 운전병은 안기부장의 명을 기다렸다.

안기부장은 하늘에 떠있는 헬기를 발견하고, 다시 연락을 걸었다.

"문 열고 대원들한테 전일빌딩에서 총을 싸대는 시민들을 향해 공격하라! 저들이 우리 군인들을 죽이고 있다! 어서!"

운전병은 문을 열고 대원들이 가까이서 사격할 수 있도록 전일빌딩에 가까이 댔다.

그러고는 대원들은 전일빌딩에 있는 시민들을 향해 총을 발사했다.

하늘에서 공격 할 줄은 몰랐던 나는 전일빌딩에 있는 시민들에게 후퇴명령을 내렸지만 결국 빌딩에 있던 시민들은 모두 총살 당했다.

이후 공격하는 시민들이 모두 사살당하자 군

인들은 다시 전남도청을 향해 총을 발사하기 시작했다.

"일단 우리 시민대표님을 지키자!"

시민들은 나를 지키기 위해 열심히 싸웠지만 결국 시민들은 군인들의 총과 칼에 죽어 나갔다.

시민들은 내 옆에 다가와 소리쳤다.

"대표님! 대표님은 어서 튀세요! 대표님은 살아서 생생하게 이 상황을 알려야죠! 뒤에 있는 문으로 나가면 문이 있습니다! 그 뒤로 나가서 광주 외부로 나가십시오!"

나는 그들을 두고 광주를 나가기는 싫었지만 어쩔수 없이 다른 몇명의 시민들을 데리고, 광주를 탈출하기 위해 전남도청의 뒤에 있는 숲으로 튀었다.

그 모습을 본 군인은 안기부장에게 보고했다.

"부장님! 저 숲으로 사람들이 지나갔습니다! 어서 쫓아가지 않으면 다른 지역으로 나갈것입니다!"

그 말에 안기부장은 전남도청을 공격하는 군

인들에게 명령했다.

"너희들 거기 사람 모아놓고 그냥 폭탄 던져서 터뜨리고 와 그리고 숲으로 출발해! 발견하면 그냥 바로 쏴버려!"

군인들은 바로 주머니에서 수류탄을 뭉텅이로 꺼내 전남도청을 향해 던졌다.

그렇게 전남도청은 군인들에 의해서 터지고 불길만이 전남도청의 최후와 함께했다.

나와 몇명의 시민들은 숲에서 달리면서 불타는 건물을 바라보며 잠깐 멈춰 그들을 회상했다.

하지만 오래 하지는 못했다.

"야! 찾았다! 여기 아직 남은 시민들이 있다!"

나는 시민들과 손을 잡으며 끌고 달려갔다.

"야! 우리가 알려야지! 어서 달려갑시다!"

하지만 결국 그들은 자신의 목숨을 희생하여 나를 광주 밖으로 나갈 수 있도록 도와주었다.

'나를 위해 목숨을 바쳐준 그들에게 너무 미안하고, 고맙다…'

안기부장은 나를 잡지는 못했지만 그정도면 임무를 완수했다는 상부의 이야기를 듣고, 아쉬워하는 말투로 모든 군대들을 부대들로 복귀시켰다.

"자네들 정말로 수고 많았다! 현정부는 자네들을 기억할 걸세 자네들이 했던 일에 자부심을 가지게!"

군대들은 서로 자신의 차들을 이끌고 시체들은 야산에 매장을 한 후에 광주의 외곽으로 떠났다.

숲에 숨어 있다가 그 소식을 들은 나는 다시 전남도청으로 향했다.

하지만 하얗던 건물은 검게 타버리고, 전일빌딩은 총알자국이 남아있고, 걸어다닐 때마다 피와 고장난 차, 시체들이 보였다.

병원은 아직도 다친 사람들로 인해 간호사들과 의사들은 분주하게 움직였다.

이후 나는 다시 서울 대학교에 들어가 못했던 공부를 하려고 했지만 그때 광주에 있었다는 이유로 다시는 서울대학교에서 공부를 하지 못했다.

대신 광주로 다시 돌아와 전남대학교에서 공부를 다시 시작했다.

그리고 정부는 원래 있던 대통령은 쫓겨나고, 군대의 대장이 대통령의 자리에 올랐다.

그리고 광주에서 일어났었던 사실들을 덮으려고 했지만 다음 대통령때 국회에서 그 사건에 대해서 청문회가 열렸다.

당시 책임자 였던 두 대통령은 감옥에 갔지만 다른 의혹에 대해서는 아무것도 모른다며 부인했다.

그 일을 알리기 위해서 광주에서는 진상 조사회를 만들었다.

그리고 그 회의에서 내가 대표를 맡기로 결정했다.

"감사합니다! 여러분들 제가 광주 시민들을 대표해서 그리고 그 당시에 시민대표라는 책임감을 가지고 열심히 진상을 밝히기 위해서 노력 하겠습니다!

나는 진실을 밝히기 위해서 전국을 돌면서 그

때 당시 관련되어 있던 군인들을 찾아다녔다.

하지만 하나같이 모든 군인들은 내가 하는 질문에 답해주지 않았다.

어떻게 하지 고민을 하던 나에게 누군가에게서 연락이 걸렸다.

"제가 당시 광주의 군 관리자 였는데…증언 가능할까요?"

나는 기쁜 마음에 그 사람과 약속을 잡아 어느 까페에서 보기로 결심했다.

"아이고 감사합니다! 용기 내서 증언해주기로 말입니다!"

하지만 그는 내가 알고있던 나를 죽이려고 환장을 했던 안기부장이였다.

그는 나를 보니 반가운 표정으로 나에게 말했다.

"야! 역시 너 인줄 알았어! 너 계속 뒷조사 하면 내가 자네를 죽일걸세! 이건 협박이 아닌 살인 예고야! 알겠냐?"

안기부장의 경고에도 나는 광주 시민들과의 약속을 지키기 위해서 다시 마음을 가다듬고 군인들을 찾아가서 증언을 해달라고 계속 부탁했다.

내 노고에 하늘이 보답해 주었는지 어느 한 군인이 증언을 해주겠다고 연락을 주셨다.

"그때 당시에 제가 광주에 헬기사격을 했습니다! 죄송합니다…"

"누가 헬기사격을 시켰나요…?"

"기억나요 안기부장인데…안기부장이 상부에서 시켰다고 한적이 있어요…"

나는 용기를 내준 그 군인들과 몰래 나에게 연락을 주어 당시 상황을 알려준 군인들에게 감사 인사를 건넸다.

그리고 대망의 재판 날이 다가왔다.

재판에는 두 대통령과 당시 상부에 있던 사람들과 안기부장, 군인 사령관등과 피해자 유가족들이 모여 재판을 관람했다.

나는 내가 직접 찾고, 모은 증거들을 변호사 측에 제출하고, 당시 있단 군인들이 증언을 이야기 할 수록 대통령들의 표정과 상부의 표정은 점점 굳어갔다.

그에 반해 나와 검사, 유가족들은 표정이 점점 밝아졌다.

판사는 재판 이후에 판결 결과를 발표했다.

"피고인들과 당시에 이 사건과 관련된 사람들에게 모두 유죄를 선고합니다! 피고인 전두환을 무기징역에, 피고인 노태우를 징역 17년에, 피고인 황영시, 허화평, 이학봉을 각 징역 8년에, 피고인 이희성, 주영복, 정호용을 각 징역 7년에, 피고인 유학성, 허삼수를 각 징역 6년에, 피고인 최세창을 징역 5년에, 피고인 차규헌, 장세동, 박종규, 신윤희를 각 징역 3년 6월에 각 처합니다!"

당시 재판에 있던 유가족들과 나는 만세 삼창을 하며 신나했다.

형을 선고받은 그들은 안기부장에 눈빛을 째려보았다.

안기부장은 감방에 들어가기 전에 나에게 다가와 말했다.

"너는 지금 실수한거야! 내가 감방에서 나가면 너 먼저 죽일거야! 두고봐라!"

하지만 안기부장은 감옥 안에서 죽고, 다른 사람들은 특별 사면으로 감방에서 나왔다.

시민들은 사과하라고 했지만 결국 사과 한마디 없이 그는 지병으로 돌아가셨다.

비록 책임자였던 사람에게 사과는 못 받았지만 이 일은 아마도 절대 잊지 못 할 것이다.

이 일은 군대와 국가가 아닌 우리 광주 시민들이 이긴 것 이다.

우리는 그렇게 기억 할 것이다!

제2화 나의 선택

편안하고 따뜻한 주말 나는 나와 가장 친한 친구들과 1시에 만나기로 약속을 잡고, 늦지않고 일찍 가기 위해 일찍 일찍 나갈 준비를 마쳤다.

어느 정도 준비를 마쳤을때 조용하던 내 폰으로 저장되어 있지 않은 번호로 연락이 왔다.

나는 떨리는 마음으로 전화를 받았다.

"여보세요 누구신데 저에게 연락을 거셨나요?"

핸드폰 반대편에는 내가 전혀 처음 듣는 사람의 목소리가 나의 질문에 대답했다.

"자네 친구가 나에게 납치 되어 있다. 너의 친한 친구를 살리고싶다면 지금 당장 나에게 계좌로 100만원을 보내라!"

다른 사람들 이었다면 깜짝 놀라서 당황한 말투로 덜덜 떨면서 그 사람에게 돈을 보내면서 살려달라고 질질 짤텐데 나는 달랐다.

"이봐요 지금 상대 잘못 잡았어 그 친구랑 있다가 놀기로 했거든 돈 벌고 싶으면 그냥 달라고 해 협박 하지 말고 알겠니?"

하지만 이런 내 소리에도 상대방은 전혀 당황하지 않았다.

그 사람은 덤덤한 표정으로 누군가에게 전화를 걸어주었다.

"야야! 나 좀 살려줘! 제발 우리 오늘 만나기로 했잖아 제발 정이 있잖아 우리 찐친이잖아…"

갑자기 너머에서 친구가 덜덜 떨면서 살려달라고 소리치자 갑자기 나도 깜짝 놀랐다.

하지만 다시 페이스를 맞추고, 답을 했다.

"헐…진짜? 어떻게 해…너 살리려면…어?"

친구는 울면서 말했다.

"제발…이 사람이 하라는 것처럼 돈 100만원 넣어줘…제발…어?"

나는 웃으며 놀리듯 답했다.

"야! 너 거기서 뭐해? 내가 보내줄 것 같아? 너는 지금 나를 너무 낮게 봤어 이런 협박으로는 나를 못이겨 이 사기꾼 새끼야! 내 쌍욕이나 먹어라!"

내 말에 그 사람은 화가 머리 끝까지 났는지 몇번 혀를 끌끌 차더니 나에게 조언을 하나해주었다.

"이거 너가 결정한 일이다! 너가 니 친구 죽인거야! 알겠어?"

그의 말에 잠시 온 몸이 떨리고 겁이 났지만 그래도 당당하게 소리쳤다.

"그래라! 누가 이기나 보자!"

그 사람은 전화를 끊었다.

'아이 오늘도 사기꾼을 잡았네 감히 경찰일을 했던 나에게 이런 사기를 쳐? 미친 놈인가?'

생각을 하며 전화하느라 하지 못했던 화장을 끝마치고, 집을 나서 친구와의 약속장소로 향했다.

예상대로 약속장소에는 항상 그러듯이 내가

먼저 도착했다.

그리고는 하염없이 내 친구를 기다렸다.

하지만 2,30분이 지나도 내 친구는 약속장소에 나타나지 않았다.

원래같았으면 지금 도착해 내 앞에 무릎을 꿇으며 늦어서 미안하다거고 울어야할 타이밍인데도 보이지 않자 더 불안해졌다.

'아이씨 왜 이렇게 안와…이 지식은…좀 빨리 니오지…'

결국 더 이상 기다리기는 어려워서 그냥 집으로 들어왔다.

집에 가는 길에도 친구한테 몇십번 연락을 했는데도 연락을 받지 않았다.

시간이 지나면 지날수록 나는 점점 초조해졌다.

'진짜…였나…? 아까 나에게 살려달라고 소리를 치던 사람이…'

그냥 아무생각도 하지말자고 결심을 하고, 침대에 누워 잠을 청했다.

다음날 아침 핸드폰을 보니 다른 친구들에게

서 연락이 와 있었다.

'와…뭔 연락이 20번이 와있어…그것도 새벽에…진짜 짜증나네…'

나는 눈을 비비며 가장 위에 있는 친구에게 연락을 걸었다.

"야…뭔 전화를 새벽 2시에 하고 그래…사람 자고 있을때 말이야…하고 싶었던 말이 뭐야?"

그 친구는 엄청 운것처럼 걸걸한 목소리로 연락을 받았다.

"있잖아…우리 친구인 지형이가…죽었대…타살이래…어떻게 해? 우리지금 지형이 장례식이야 주소는 카톡에 보냈으니까 거기로 와 우리들 모두 거기에 잘 나와 있으니까…"

나는 친구의 말을 믿을 수 없었다.

어제 통화 속에서 살려달라고 했던 그 말이 사실이라니…나는 할말이 없었고, 급하게 장례식장으로 향했다.

신호란 신호와 보행자까지 무시해가며 장례식장으로 쉬지않고, 직진했다.

빠르게 속도를 내며 가고있을때 어제 저장 되어 있지 않은 번호로 전화가 왔다.

나는 급하게 그 전화를 받았다.

"야! 너 뭐하는 놈이야? 어떻게 그럴수가 있어? 어제 그 전화가 진실이었다니…어떻게 한거야…도대체! 그리고 왜 다시 전화했어?"

그 사람은 나의 당황하고 분노한 말투를 듣고 웃었다.

"하하! 제가 말했죠? 그러니까 내 말을 거역하지 말라고 그리고 어제 그 친구는 너.가.죽인거다! 알겠죠?"

나는 그 사람의 비웃는 듯한 말투에 화가 나 다시 소리쳤다.

"뭐 이제 사람이 죽으니 기분이 좋니? 좋아? 돈 대신 사람 목숨을 가져가니까!"

그 사람은 다시 웃으며 말했다.

"아니요? 이게 끝이라고 생각하시면 제가 서운하죠…제가 여기서 끝내려고 시작한줄 아시나요? 그건 큰 오산이십니다! 히히"

나는 그 사람의 웃음소리에 다시 한번 경고했

다.

"당신 도대체 나에게 원하는 것이 뭐야? 원하는게 뭐냐고!"

"저는요 당신이 저에게 살려달라고 죽고싶다고 큰 소리치는 겁니다. 죽고싶을 때까지 당신을 괴롭힐 것 입니다."

나는 그 사람에게 말했다.

"그래 한번 해봐! 나도 경찰이야! 너 잡는 것은 누워서 떡먹기야!"

또 나의 설레발에 그 사람은 웃으며 말했다.

"하하! 역시 이번에도 그렇게 나오시는 군요. 역시 당신을 믿고 있었습니다! 그럼 경고하나 하죠 장례식장에서 가장 먼저 나오는 한 사람은 즉습니다! 하지만 아무도 안 죽고 당신이 먼저 들어간다면 당신이 처음으로 인식되고 죽게 됩니다! 그럼 현명한 선택 하시기를…'

그 사람은 또 자기 할 말만 하고 전화를 끊었다.

'친구가 죽나…내가 죽나…어떻게 하지…근데 나는 경찰이라 이 세상에 필요해! 친구 한명만

죽으면 되니까 괜찮겠지? 설마 또 죽이겠어?'

나는 바로 나에게 연락을 남겼던 전에 나를 거지라고 불렀던 친구에게 연락을 걸었다.

그러고는 굉장히 다급한 말투로 그에게 말했다.

"야! 야! 그 우리 친구를 죽였던 그 자식이 지금 장례식장 앞에서 서있대! 빨리 나가봐! 잡아야지! 분하지 않아?"

나의 연락을 받은 주화는 친구들에게 안에 있으라고 타이르고, 장례식장의 입구로 니왔다.

그리고 나에게 다시 연락을 했다.

"야! 나왔는데 그 새끼 어딨어! 우리 친구인 지형이 죽인 그 새끼 어디있냐고?"

"잠시만 기다려 내가 장례식장 가고 있으니까 기다리고 있어! 알겠지?"

하지만 주화는 자신의 앞에 지형이를 즉인 놈이 있다는 생각밖에 나지 않았고, 결국 내 경고에도 장례식장을 빠져나와 소리를 질렀다.

그리고 동시에 장례식장의 입구 잎에서 폭발 소리가 크케 울러퍼졌다.

장례식장에 있던 친구들도 담소를 나누다가 폭발소리를 듣고 놀라 장례식장 밖으로 달려갔다.

나도 차를 타고 급하게 장례식장에 도착했다. 차에서 내린 나와 장례식장에서 달려나온 친구들은 폭발소리가 났던 곳 근처로 향했다.

나와 친구들은 바로 경찰에 신고를 했다.

"여기 경찰이죠? 지역 장례식장에서 폭발사고가 일어나서요…어서 구급차량 출발해 주세요! 어서요!"

경찰이 오기까지 나와 친구들은 모여서 이야기를 나눴다.

"이야 다들 정말 오랜만이네…근데 진짜 이게 무슨 일이야…2일동안 친구 2명이 갑작스러운 사고로 죽고 말이야…불안해서 어떻게 살아…"

"그니까…어떡하면 좋아…우리도 죽을수도 있는 거잖아…"

나와 친구들은 죽은 2명의 친구들처럼 갑작스럽게 죽을까봐 덜덜 떨면서 대책을 마련했다.

그 와중 신고를 받았던 경찰관들이 사고 현장
으로 오셨다.

"여러분 이게 대체 어떻게 된 이야기인지 알
수 있을까요?"

나는 말하기 무서워하는 친구들을 대신해 내
가 경찰에게 들었던 이야기를 말해주었다.

"그게 친구의 장례식장이 있었는데요…그 친
구의 장례식장에 참여하려다가 갑자기 다른
친구 한명이 전화를 받고 나갔다가 펑 소리가
들려서 봐보니 뭔가 터졌고, 그곳에서 불이 났
다고 했습니다! 이렇게 들었습니다. 불이 난거
는 제가 보기는 했었습니다!"

경찰은 내 말을 들으시며 수첩에 무언가를 끄
적이셨다.

내가 진술을 다 끝내자 경찰은 나에게 질문을
했다.

"그러면 당신은 폭발이 나고 장례식장에 도착
했다는 겁니까?"

나는 고개를 끄덕였다.

"넵 맞습니다! 제가 왔을때는 폭발이 이미 일

64

어난 상태였고, 그때 보니 불이 나고 있었습니다!"

경찰은 고개를 끄덕이며 현장에 폴리스 라인을 치고, 주변에 있는 사람들을 안전상의 이유로 집으로 귀가 조치 시켰다.

나는 친구들과 우선 헤어진뒤 떠나는 경찰차를 잡기 위해 숨을 헐떡이며 달렸다.

"저…저기요…헉헉…제가 이 사건에 대해 알아요…제가 안다고요…자세히…"

경찰서로 복귀하다가 그 모습을 본 형사는 기사님에게 부탁을 하고, 차를 세웠다.

차를 세운 형사님은 차에서 내려 내 어깨를 어루만지며 물었다.

"옙! 당신이 이 사건에 대해 아는 내용이 있다면 뭐든지 믿고 저에게 신고바랍니다! 어서 말씀해주세요!"

'아…이 형사님 믿어도 되는 거겠지?'

고민하다가 결국 앞에 있는 형사를 믿고, 지금까지 있었던 일에 대해서 다 불었다.

"제가 이 사건에 대해서 다 알고 있습니다…

사실 친구들이 죽기전에 누군가가 저에게 연락을 해왔습니다…그 사람이 누군지는 모르겠는데 저를 협박하더라고요…"

경찰은 다시 수첩을 꺼내 내 말을 다시 곱씹으며 적었다.

"알겠습니다. 누군지는 모르겠다고요…근데 이걸 왜 친구들 앞에서는 말 하지 않고, 저한테만 말해주는 건가요?"

"그게…제가 경찰인데 이 일이 일어났는데도 막지 못한다고 친구들이 놀릴까봐…머리가 아파서요…그리고 도움을 부탁드리려고…"

형사는 나에게 물었다.

"어느 부탁을 하고 싶으십니까? 마음껏 이야기 해주세요!"

나는 우물쭈물 거리며 천천히 형사에게 말했다.

"그게…저랑 같이 그놈 잡읍시다! 부탁하겠습니다! 저도 도움이 될겁니다! 아마 그 자식은 또 저에게 연락 하겠죠…그때…그놈의 위치를 따서 같이 그 사람에게 습격합시다! 어떠십니까?"

형사는 내 말에 고민을 하더니 나에게 손을
내밀며 말했다.

"좋습니다! 저희 잘 해보죠! 그럼 잘 부탁드립
니다!"

반대할줄 알았던 형사가 의외로 손을 내밀자
나도 한숨을 내쉬며 손을 잡았다.

"감사합니다! 같은 경찰끼리 범죄자 한번 잡
아봅시다! 그럼 나중에 그 놈한테 전화오면 바
로 알려드리겠습니다!"

나는 만족하며 그의 차에서 내려 집으로 향했
다.

'아이 이제 그 범죄자 그놈은 곧 잡힐거다! 각
오해라!'

며칠 후 파출소에 출근하던 나에게 연락이 왔
다.

'어? 그 자식이다! 내 친구들을 죽이던 그
놈…!!'

나는 약속대로 나와 동맹을 맺은 형사에게 연
락했다.

"형사님 제가 한말 그대로죠? 그 놈에게 연락 왔습니다! 제가 연결할테니 위치 잘 부탁드립니다!"

내 전화에 형사는 사이버 수사팀을 급하게 불렀다.

"야! 사이버! 빨리 노트북이랑 들고 나에게로 와!"

사이버 수사대까지 준비되고 나는 그의 전화를 받았다.

"아이고 안녕하십니까! 오늘은 다르게 연락을 늦게 받으셨네요? 뭔 수작을 부리시는지는 저는 잘 모르겠지만 만약 경찰을 동원하신 거라면…저도 그럴줄 알았습니다! 그래서 준비해뒀죠!"

나는 그 사람의 말에 당황하며 물었다.

"대체 무슨…준비를…너 대체 누군데 나에 대해서 다 꿰뚫고 있는거야?"

그 사람은 다시 기괴한 웃음을 지었다.

"시간 끌지 마시고 이제 제 본론으로 넘어가겠습니다? 이번 타깃도 당신의 친구입니다!

누군지는 비밀이고 지금 당장 저에게 현찰을 보내세요! 3천만원이요! 그때 처럼 안주신다면 그때처럼 됩니다…지금 당신때문에 2명이 죽었어요! 한명 더 죽이시겠다면 저야 좋죠! 그럼 이만 들어가세요~~"

나는 아무 말도 하지 못하고 전화를 끊어 버렸다.

건너편에서는 한탄소리가 크게 들려왔다.

"하…아쉽네요…곧 그 녀석의 휴대폰 위치를 찾을 수 있었는데 말이에요…좀만 더 시간을 끌지 그랬어요…일단 나중을 대비합시다!"

나는 친구를 죽이고있는 그 녀석들을 찾기 위해서 노력했지만 전화로도 그 녀석을 찾지 못했다는 분함에 휴대폰을 바닥에 내던지며 소리쳤다.

"으아아악! 아악! 왜! 내가 뭐라고 그 살인마 자식을 못죽이고…! 못잡고! 아이씨!"

나는 고민에 잠겼다.

'친구를 살릴거냐…범인을 잡을거냐…나에게 더 중요한건 뭐지? 뭘 골라야 나에게 더 이득

이 될까?"

결국 나는 복수에 눈이 멀어 친구를 버리고 그 자식을 잡기 위해서 약속 시간과 날까지 약속한 액수의 현금을 주지 않았다.

이에 그자식은 나에게 화났는지 다시 전화를 걸었다.

"결국 이번에도 당신은 친구의 목숨을 가볍게 보는군요…당신의 선택에 후회하지 않으셨으면 좋겠습니다…! 내일 뉴스 꼭 보시고요!"

나는 전원을 꺼버리고 바로 잠자리에 들었다.

'하…내 선택이 맞겠지…이 선택이 맞기를… 꼭 맞아야 하는데…친구들의 목숨까지 희생하며 얻어가는 건데…꼭 잡아야 복수도 하고…'

결국 생각만 하다 정작 잠을 자지 못했다.

하품을 하며 일어나니 어제의 경고가 계속 생각이 나서 티비를 틀었다.

"오늘의 소식입니다! 새벽 2시 30분정도에 어느 한 골목길에서 시신으로 발견되어 충격을 안겨주고 있습니다! 이번 사건도 전에 있었던 2개의 살인사건과 관련이 있는 것으로 보고,

더욱 자세한 조사를 실시하고 있습니다!"

결국 또 한명의 친구가 또 그 싸이코패스 그 자식에게 살해당했다.

나는 장례식장에 가서 나 때문에 죽어가는 죄 없는 친구들 때문에 죄책감이 들어 친구들이 이야기하는 장소와는 떨어진 외진 곳에서 웅 크리고 있었다.

친구들은 나를 보며 측은하게 바라보기만 했다.

나에게 다가와 준것은 나의 찐친인 리유 뿐이었다.

리유는 내 옆에 다가와 내 어깨를 주물러주며 말했다.

"괜찮을꺼야⋯ 너때문이 아니야⋯그 살인자 때문에 죽은거지⋯뭐 안좋은 일 있어?"

나는 리유의 타독임에 눈물을 흘리며 지금까 지 있었던 이야기를 해주었다.

첫 사건부터 전 사건까지 모든 것을 다 말해 주었다.

하지만 리유는 내 말을 듣고도 놀라지 않고

묵묵하게 내 옆에 앉아 내 이야기를 들어주었
다.

"야…그런 힘든 일이 있으면 말하지…왜 말
안했어…우리가 미안해…우리가 먼저 너의 힘
든 것을 알아차려야 했는데…정말 미안해…"
리유는 서럽게 울고있는 나를 껴안았다.

"리유야…정말…미안해…정말로…"
리유도 안아주며 같이 울어주었다.

중학교 때부터 친했고, 나에게 많은 도움을 주
었던 리유도 그 놈의 레이더에 올라갔다.

"당신 이번엔 그렇게 당신이 좋아하는 리유를
죽이겠습니다! 좋아하는 사람이 죽으면 어떤
기분일지 어떤 감정을 표출하는지 궁금하네
요? 뭐 살리고 싶다면 전이랑 똑같이 2천만
보내세요! 그럼 풀어드리죠!"
나는 전과는 다르게 1초도 고민하지 않고, 바
로 말해준 계좌번호로 2천만원을 송금했다.

초스피드 송금에 감명 받은 그놈은 웃었다.

"하하! 역시 그냥 친구보다 이성친구는 꼭 살
려야 한다는 생각만 하나보지요? 어쨌든 저도

약속을 했으니 근처 역으로 나오시죠? 비지역으로요!"

나는 급하게 옷을 갈아입고, 비지역으로 달려나갔다.

'헉헉…기다려 리유야…내가 너를 구하러 지금 당장 달려갈게…'

비지역에 도착한 나는 바로 리유를 찾기 위해 역을 뛰어다녔다.

"리유야! 리유야! 어디야?"

역을 쑤시며 리유를 찾다보니 사람이 별로 없는 구석진 곳에 서있는 모습을 발견했다.

나는 반가워하며 리유에게 달려갔다.

하지만 그녀의 행동이 굉장히 수상했다.

내가 달려가자 오지 말라고 가까이 오지 말라고 부탁하는 듯이 고개를 저었다.

"리유야! 무슨 일이야?"

리유는 금방 울것 같이 눈시울이 붉게 물들었다.

"너는 아무 죄 없어…그니까 죄책감 갖지마…아무 일 없다듯이 그냥 살아…미안해…영

원히 같이 있기로 약속했는데 그 약속 못 지켜서…"

그녀의 말을 알아들은 나는 순간 심장이 멈추는 듯했다.

"리유야…무슨 일이야…너가 왜 죽어…내가 돈 줬어…근데 왜 죽어…이건 약속 불이행이야! 그놈이야?"

내가 화를 내며 그녀에게 소리를 쳐도 그녀는 내 화난 얼굴을 봐도 평온한 표정을 지었다.

'야…나 없이도 잘 살아야한다…알겠지? 그리고 너 잘못 아니다…다 그 자식 탓이야…알겠지?'

그녀의 속삭임 이후 내 눈앞에서 그녀는 폭탄에 의해 죽었다…

사람들은 폭탄소리에 깜짝 놀라 소리를 치며 너도나도 역을 나가기 위해 입구로 달렸다.

사람들의 시끄러운 소리에도 나는 사고가 났던 그곳만 빤히 쳐다보았다.

분명 밖에는 비가 오지 않았는데 내 주변에는 크고 작은 물웅덩이가 있었다.

'아니야…그럴리가…나는 분명 돈을 보냈는데…왜…'

뒤늦게 경찰이 신고를 받고 와 형사가 나를 그 현장에서 끌어냈다.

형사는 나를 바라보며 버럭 소리를 질렀다.

"뭐하시는 거에요? 폭발현장에서 그렇게 서게 시면 죽을지도 모릅니다! 어서 나오세요! 복수 안 하실 겁니까?"

나는 정신을 차리고 현장에서 나왔다.

"형사님 제가 부탁드린 것은 어떻게 됐죠?"

형사는 급하게 차에 달려가 나에게 봉투 하나를 건네주었다.

"여깄습니다! 주신 정보를 토대로 이번 사건 우 용의자를 추려보았는데…전에 끝났던 주가 사건은 왜…"

"그런게 있습니다…이 사건을 다 해결하고 제가 모든 진실을 밝히러 자수하겠습니다…일단은 이 사건부터 해결합시다!"

그리고 나는 형사님에게 신신당부했다.

"그리고 형사님 이번 사건의 범인은 제가 직

접 잡겠습니다! 형사님은 뒤에서 도와만 주세요…"

형사님은 위험하다며 절대 그러지 말라고 말했지만 나는 듣지 않았다.

결국 내 고집을 못 꺾은 형사님은 나에게 호신용 호루라기를 건네주었다.

"알겠습니다…그래도 이 호루라기는 꼭 들고 가셨으면 합니다…그래야 위급상황에 제가 가니까요…알겠죠?"

"형사님 믿어주셔서 감사합니다! 제가 꼭 이 호루라기는 들고 다니겠습니다!"

나는 형사님에게 감사인사를 남겼다.

집으로 돌아온 나는 지금까지 몰래 몰래 준비한 여러 도구들을 가방에 바리바리 싸들고 그놈의 전화만 기다렸다.

'언제 오냐…이녀석 전화 언제오니…빨리 와라…진짜…'

내 마음을 읽었는지 어디서 쳐다보고 있었는지 바로 연락이 왔다.

"여보세요? 저를 많이 기다리셨나 보네요?"

나는 버럭 화를 내며 그 녀석에게 따지듯 물었다.

"야! 돈 보냈는데 왜 약속을 어기고 친구를 죽이게 만들었지? 이건 약속과는 다르잖아! 내 돈 돌려내!"

그 녀석은 웃으며 말했다.

"아이고…경찰형님 당신이 그러시면 어떡해요…그 이유는 당신이 더 잘 아실건데…아닌가요?"

나는 차오르는 화를 참고 다시 한번 차분히 말했다.

"알겠어 잘 알지…그니까 우리 한번 만나서 대화로 우리의 감정들을 풀자…어때?"

그 녀석은 내 제안을 거부했다.

"경찰 동료를 끌고 나를 잡을 수도 있는데… 제가 왜요? 왜 그래야 하나요?" 그럼 돈은 또 보내는 걸로 합시다! 기한은…3일 입니다! 안 보내면 알죠?"

나는 머리를 감싸면서 깊은 한숨을 내쉬었다.

"하…진짜…어떻게 해야하지…하…"

그렇게 말하면서 나의 입고리는 점점 올라갔다.

그리고는 큰 소리로 미친듯이 웃었다.

"형사님, 잡았죠? 어딥니까? 그 녀석이 전화를 하는 위치요!"

형사님은 문자메시지로 보내주었다.

형사님의 문자를 받은 나는 형사님에게 감사 인사를 보내고, 바로 그곳으로 달려갈 준비를 했다.

형사님은 내가 걱정이 되었는지 계속 전화를 끊지 못했다.

"이봐 자네 내가 준 호루라기는 들고 있는거지? 있지? 진짜지? 그거 진짜 무조건 있어야안 한다!"

나는 형사님에게 신신당부하며 챙겼다고 걱정하지 말라고 했다.

나는 바로 준비했던 무기 가방을 어깨에 메고, 집 밖을 나갔다.

다행히 집에서 별로 그렇게 먼 곳에 위치하지는 않아 바로 쉬지않고 달려갔다.

무기 가방이 아주 무거워 달리는데 힘들었지만 내 친구들과 연인을 죽이고 나를 기만했던 그 녀석을 잡는다는 생각에 발걸음이 가벼워졌다.

그 녀석이 매번 연락을 했다는 장소에 가서 그 장소를 몰래 지켜보았다.

그 곳을 몰래 지켜보는 내 모습이 많이 수상했는지 많은 사람들이 나에게 다가왔다.

"형씨 뭐 누구 찾는 사람 있소? 이게 뭐하는 거요…이렇게 다니면 누구나 이상하게 생각하실 건데…"

나는 머쓱하게 웃으며 손을 내저으며 말했다.

"아이 아닙니다. 도와주시려고 하는 마음은 아시겠지만 괜찮습니다! 저 혼자서도 잘 할수 있습니다! 감사합니다!"

'절대 누군가를 잡으려고 왔다는 것을 들키면 안돼지…'

그 아저씨가 떠나도 계속 다른 사람들이 몰려와서 누구를 그렇게 찾냐고 물어보았다.

그때마다 주머니에 있는 경찰 신분증을 꺼내

며 경찰서에서 잠복 근무 나온다고 말했다.

"아이씨 힘들어라 왜 이렇게 상관없는 사람들만 내 옆에 나타나! 정작 그 녀석만 안오고…"

계속 나타나는 사람들 때문에 일이 방해되어 화가 난 나는 신분증을 구기며 바닥에 내 던졌다.

"아 진짜! 여기 신분증이요! 맘껏 보세요! 맘껏! 그리고 다시는 저 근처로 오지마세요! 제발 작전 방해하지 마시고요!!"

내 소리에 놀랐는지 주변에서 보고있던 사람들은 머리를 긁적이며 움직이지 못했다.

나는 계속 잠복하기 위해 다른 곳으로 위치를 옮겼다.

'여기에는 제발 아무도 오지말고 그냥 내가 찾는 그 녀석만 와라…제발…내가 이렇게 기도한다…'

화를 삼키고, 다시 그 녀석을 잡기위해 무작정 기다렸다.

하지만 그곳에서도 내가 잡고 싶어하는 그 녀

석은 보이지 않았다.

그때 내 옆에 누군가가 다가왔다.

그 사람은 나를 툭툭치며 말했다.

"저기…아까 그 신분증…놓고 가셨길래요…"

그 사람은 나를 도우기 위해 나를 찾아왔지만 예민했던 나는 또 버럭 소리를 지르고 말았다.

"아저씨! 거기 놓고 썩 물러가요! 제발! 제 일 방해마시고…"

그 사람은 나에게 큰 소리를 듣고 마음이 상했는지 조용히 내 옆에 신분증을 두고, 걸어갔다.

그 사람이 갔는지 보기위해 주변을 둘러보던 나는 편의점에서 봉지를 들고 나가는 누군가를 발견했다.

그리고는 급하게 주머니에서 구겨진 사진을 꺼내 편의점에서 나오는 사람과 대조를 하고는 찾았다 싶어 바로 총으로 죽이고 싶었지만 만약을 위해 조심히 다가가기 위해서 내가 화를 냈던 그 사람을 불렀다.

'아저씨…아저씨…저 아저씨? 저 좀 봐요…아저씨…'

하지만 들리지는 않았는지 아저씨는 계속 갈 길을 갔다.

결국 나는 한번 질러보자는 태도로 아저씨에게 소리를 질렀다.

"아저씨! 저 좀 도와주세요!! 아저씨!"

나의 큰 소리에 내가 잡고 싶어하는 그 녀석도 나를 쳐다보았고, 아저씨도 내 쪽으로 고개를 돌렸다.

나는 다짜고짜 아저씨에게 말했다.

"아저씨 왜 제 지갑은 안돌려 주시나요? 왜 신분증만 주시나요?"

아저씨는 나에게 다가와 어이없다는 듯이 소리쳤다.

"아따 경찰 양반이 무고한 시민을 범죄인 만드네! 진짜 이게 뭔 일이까나…"

나는 이 일을 기회삼아 편의점에서 보고있던 그 녀석에게 다가가 물었다.

"아저씨는 못 봤어요? 제 지갑이요! 저 경찰

입니다! 거짓말 치시면 안되요.."

내가 구겨진 신분증을 보여주며 다가가자 그 녀석은 신분증과 내 얼굴을 번갈아 보더니 내가 계속 앞으로 다가오자 봉지를 떨어트리고 반대편으로 달려갔다.

나는 순간 신분증을 주머니에 구겨넣으며 그 녀석을 쫓아갔다.

"시민들 저 경찰인데 저 앞에 코트 입은 사람이 살인마입니다! 어서 도와주세요!"

주변에 있던 사람들은 머리를 긁으면서 어쩔 줄 몰라했다.

그런 사람들을 본 나는 어이가 없었다.

'아이…시민들이 그런 것쯤 하나는 해줄만 하는데…이기적이네…"

결국 그렇게 소리를 쳤지만 아무도 선뜻 나서지 않았다.

도와 준다는 사람들이 있어도 먼저 앞에 나서서 막으려고 하면 그 녀석은 그렇게 잡히기 싫은지 밀치면서 달려갔다.

그래서 어쩌다보니 다치기 싫어서 사람들은

나서지는 못했고, 나 혼자만 그 녀석의 뒤를
쫓고 있었다.

결국 달려가며 핸드폰을 꺼내 급하게 형사에
게 연락을 하고, 숨이 차서 말은 도저히 못 할
것 같아서 호루라기를 계속 눌렀다.

핸드폰에서 호루라기 소리를 들은 형사는 바
로 경찰서를 나와 차를 타고 달려갔다.

그는 사이버 대원들에게 핸드폰 위치를 알려
달라고 부탁했다.

계속 실시간으로 대원들에게 위치를 받고, 그
곳으로 계속 운전해 나갔다.

'자네 내가 갈때까지 잘 부탁한다! 바로 간
다!"

형사는 엑셀만 밝고 신호까지 무시하며 치타
처럼 달렸다.

형사가 달려오고 있을때 나는 계속 골목골목
을 달리다가 지쳐서 누워있는지 바보같이 자
기 혼자 넘어져서 누워있는지는 모르겠지만
바닥에 누워있었다.

나는 숨을 헐떡이며 그에게 조심히 다가갔다.

"야! 너 이제 힘들잖아…이제 그만 하자! 그만…"

하지만 아직도 포기는 하지 못했는지 준비해 두었던 칼을 주머니에서 꺼냈다.

칼을 나에게 들이대며 괴성을 질렀다.

"야! 다가오지 마! 너 나한테 오는 순간 이 칼에 찔려서 죽는거야! 알겠어? 나는 경찰관들과는 다르게 그냥 찌를거야!"

나는 손을 올리고 수갑을 내려놓았다.

그 녀석은 아무 무기가 없는 나를 농락했다.

옆에 있던 내 무기 가방을 한번 열어보더니 놀랐다.

"이야…나 하나 잡으려고 이렇게 많은 무기를 준비한거야? 멋있다! 내가 이렇게 멋있는 사람이었다니!"

그 녀석이 내 무기 가방을 뒤지면서 여러 무기들을 구경하고 있을때 익숙한 경찰차 사이렌과 경적 소리가 울렸다.

나는 손을 내리고 바로 호루라기를 꺼내 위치를 알렸다.

그 소리에 깜짝놀란 그 녀석은 칼을 꺼내 위협해 보았지만 경찰차에서 내린 형사는 그 녀석에게 총을 겨눴다.

"야! 너 이자식 칼 내려놓고 이제 그만 투항해! 알겠어?"

그 녀석은 어쩔수 없이 아쉬워하는 표정으로 칼을 바닥에 던졌다.

그리고는 마지막으로 내가 뒤로 가서 손을 땡겨 수갑을 채웠다.

그러고는 그 녀석에게 말했다.

"당신은 묵비권이 있고. 변호사를 선임가능 하고, 지금부터 하는 말은 법정에서 불리하게 적용될 수 있습니다!"

그 녀석은 잡히는 순간까지도 누군가를 믿고 있는지 큰 소리로 웃으면서 걸어갔다.

나는 갑자기 궁금해져서 차를 타는 동안 그 녀석에게 물었다.

"너는 누구를 믿고 이렇게 아무 말도 안하고 웃기만 해? 너 잡혔다는 거 알면 걔도 너 버려! 그러니까 그냥 공범도 불어!"

하지만 이런 협박에는 아무 반응이 없이 무시했다.

그렇게 경찰서로 향하는 시간동안 경찰차안은 그 녀석의 웃음소리 밖에 들리지 않았다.

경찰서에 도착한 나는 아직도 웃고있는 그 녀석을 데리고 취조실로 향했다.

그 녀석을 취조실에 묶어놓고 취조를 시작했다.

"왜 이런 일을 벌였습니까? 무슨 이유로 말입니까?"

그 녀석은 손가락으로 나를 가리키며 말했다.

"다 저기 나를 취조하고 있는 저 자식이 원흉입니다! 몇년전 그 일만 아니었다면 이런 협박과 살인 하지도 않았어요!"

나는 그 녀석은 눈을 째려보며 물었다.

"내가 기억이 나지 않아서 모르겠는데…한번 알려줘도 괜찮나?"

그 녀석은 밖에 있는 형사들에게도 잘 들으라고 언지하고 말했다.

"저 쓰레기 같은 저 놈만 아니었다면 내 친구

들은 죄없는 내 친구들은 살아서 내 옆에 있
었을거야! 알겠어? 너도 범인 알고 있었잖아
근데 너는 범인에게 돈을 받아먹고 그것도 적
은 돈이 아니라 많은 돈인 1억을 먹고 무죄라
고 거짓 증언을 했어 너 때문에 내 친구들과
부모님이 하늘로 갔어…너 때문에!"

나는 책상을 치며 말했다.

"아니야! 나 때문이 아니야! 나도 너를 위해
거짓 증언을 하지않고, 진실로 증언해서 범인
잡고, 승진해보자고 다짐했었어! 근데…갑자기
부모님이 아프셔서 수술을 해야해서 돈이 궁
해서 어쩔 수 없이 그들이 주는 돈을 받은 것
뿐이야…너도 그럴때는 돈을 선택하지 않겠
어?"

"그래도 너는 너의 이기적인 생각으로 한번에
내 친구들과 부모님을 잃었어 이제는 내가 너
에게 그대로 복수해준거야! 그리고 아직 내 복
수는 끝나지 않았어!"

그 녀석은 수갑을 찬 상태에서 주머니에서 폰
을 꺼내 어느 사진을 한장 보여주었다.

"여기 보이지? 여기가 어딘지는 알려주지는 않을거야! 하지만 보이지? 너희 부모님이 저기 계시다는 것이 말이야…! 원래는 내 손으로 처리했어야 했는데…어쩔 수 없이 동료한테 시켜야지…"

나는 소리를 지르며 취조실에 있는 마이크로 그 녀석의 머리를 치고 싶었지만 옆에 있던 형사님의 재재에 일단은 멈췄다.

하지만 나의 화는 멈추지 않았다.

"야! 너 이자식 빨리 부모님 풀어드려! 빨리! 안그러면 너를 진짜 죽여버릴지도 몰라!"

하지만 그 녀석은 이미 결정했는지 아무 말도 하지않고 가만히 앉아만 있었다.

결국 더 이상 참지 못하고 형사님의 총을 들어 그 녀석을 향해 겨냥했다.

"야! 빨리 바른대로 고해! 어딨어? 빨리 말 안해!?"

하지만 협박에도 불구하고, 그 녀석은 조용히 앉아만 있었다.

"빨리 말 안해? 너 계속 그렇게 앉아만 있으

면 이 총이 너의 몸을 뚫게 될거다!"

그 녀석은 나의 협박에도 가만히 앉아 폰만 보고 있었다.

형사는 곧 폭발할 것 같은 내 표정을 보고 고개를 저으며 말렸다.

"아니야…그건 안돼…그 행동은 안하는게 나아…"

하지만 이미 화가 머리끝까지 나에게는 그따위 조언은 들리지 않았다.

결국 계속 앉아만 있자 폭발한 나는 소리를 높이며 말했다.

"그래? 이렇게 나온다 이거지?"

나는 총을 장전하며 그 녀석의 심장에 겨냥했다.

"우리 같이 지옥한번 가보자! 알겠지?"

나는 그냥 눈 감고 방아쇠를 당겼다.

형사님은 그 모습을 보고 내 앞에 서서 손을 휘저었다.

"야! 그건 절대 안돼! 그럼 너도 살인마가 되는거야! 야! 제발!"

"아니요 형사님 이 자식은 지금 제 가족들을 데리고 있는데도 아무 말도 안해요! 죽여야 합니다! 형사님도 죽고 싶은게 아니라면 빨리 나와요…!"

내 큰 소리에 겁을 먹은 형사님은 조용히 내 옆으로 나왔다.

나는 창문과 CCTV를 가리고 그 녀석에게 총을 쏘았다.

총 소리와 함께 그 녀석의 주변과 벽에는 피가 잔뜩 튀었다.

그 녀석은 가슴을 잡으며 큰 소리로 소리쳤다.

"의무원! 의무원…! 제발…의사좀…"

하지만 아무도 그 소리를 못 들었는지 아무도 오지 않았다.

결국 신음소리만 내다가 숨이 끊겨 사망했다.

그리고 그 녀석의 휴대폰을 뒤져 공범과의 대화기록을 발견했다.

"찾았다! 형사님 찾았습니다! 여기 근처 빌딩에 있는 지하창고 입니다!"

나는 형사를 데리고 그 녀석의 공범이 있는 지하창고로 향했다.

지하창고 앞에서 잠복을 타다가 3.2.1 을 외치고 문을 발로 찬 후에 총을 들며 소리쳤다.

"경찰이다! 여기 안에 있는 사람들은 손들고 투항하라!"

하지만 예상과는 다르게 가운데 기둥에 부모님이 묶여만 있고 공범은 보이지 않았다.

나와 형사는 당황하며 총을 들고 안에 있는 방을 돌아다녔다.

그 순간 문이 열리더니 죽은 줄만 알고있어 장례식까지 차려주었던 그 친구가 내 앞에 서 있었다.

"야…너! 너 뭐야…? 너 그때 분명히…폭발때문에…안 죽었어? 설마 너가 공범이야?"

친구는 나를 보며 고개를 끄덕였다.

그리고는 실망한 표정으로 나를 바라보았다.

"야…근데 너는 나에게 사과먼저 해야하는 거 아니야?"

친구의 말에 나는 당황하며 물었다.

"뭐…뭘 말이야? 뭘 사과해?"

친구는 어이없어하며 나에게 말했다.

"나 다 들었어! 너가 나를 어떻게 생각하고 있는지 말이야! 그 사람 말 듣기 잘 한것 같아 나를 무시하는 친구에게 복수도 할 수 있고 말이야!"

그러면서 서서히 총을 들고있는 나를 피해 부모님 옆으로 다가갔다.

그러고는 소리쳤다.

"야! 이제는 전세 역전이야! 너 부모님이 하늘로 가시는 모습 라이브로 보기 싫으면 총 내려놓고 손들고 있어!"

나는 부모님을 살리기위해 옆에 있는 형사님과 총을 바닥에 내려놓고 손을 올렸다.

"총 내려놨잖아…이제 내 부모님은 풀어줘! 빨리!"

친구는 웬일로 내가 원하는 대로 부모님을 풀어주고, 문을 열어주었다.

"빨리 나가세요! 또 이 의자에 묶이기 싫으면…"

내 부모님은 급하게 열린 문으로 나갔다.

하지만 웬일로 그 친구 자식이 무슨 대가도 안 바라고 풀어줬는지 생각이 들었는데 친구는 급히 달려나가는 부모님을 향해 총을 쏘았다.

그 총에 다리를 맞은 아빠는 넘어졌다.

"아아아…아이고…"

그 모습을 본 엄마도 아빠를 보고 겁에 질린 눈으로 쳐다보았다.

"엄마…아빠…괜찮아…? 총 맞은 곳은 어때?"

다행히 크게 다치지는 않은 것 같아서 한숨을 내쉬며 그 친구를 바라보았는데 그 친구는 슬퍼하는 내 모습을 보며 웃었다.

"이렇게 오랜만에 너가 슬퍼하는 모습을 바라보고 있으니 너무 기쁘구만! 히히"

나는 친구의 모습을 보고 또 분노를 참지 못했다.

'이 자식…내 친구라고 잘 대해줬는데…감히 내 부모님을 너는 이제 내 친구가 아니야…너

는 나를 배신한거야…!'

나는 형사의 주머니에 있는 긴급용 총을 이용해서 아무런 고민도 없이 친구의 다리에 총을 쐈다.

총을 맞은 친구는 아팠는지 웃음기는 사라지고 아프다며 소리를 지르며 나에게 기어왔다.

"살려줘… 친구야… 우리 친구잖아…"

하지만 나는 친구의 말은 더 이상 듣지않고, 그냥 그 울고있는 얼굴을 보기 싫어서 심장 쪽에 총을 쐈다.

이후 부모님을 데리고 병원으로 향한 나는 병원에 돈을 내고 부모님에게 인사를 드렸다.

"엄마… 아빠… 나 없어도 잘 살 수 있지? 일이 많아서 나중에 다시 올게…"

부모님은 그런 나를 껴안아주며 말했다.

"아니야… 아니야… 괜찮아… 그곳에서도 아프지만 말거라…"

나는 그 자리에서 울까봐 바로 밖으로 튀어나와 형사님의 차를 타고 경찰서로 갔다.

경찰서에 들어간 나는 강력계 수사실로 향하

고, 그 분들을 향해 팔을 내밀었다.

그 모습을 본 강력계 반장님은 의아해하며 나에게 다가왔다.

"무슨 일로 팔을 왜…"

"저…제가 저지른 3년전 있었던 주가조작 사건과 이번에 사람 2명 죽인거 죄를 털어놓으려 왔습니다…"

반장님은 일단 나에게 수갑을 채우시고, 유치장에 넣어두었다.

그리고 대망의 재판날이 다가왔다.

나는 교도소에서 썩은 날만을 기다리며 재판이 끝나기를 기다렸다.

재판장님은 판결문을 갔고 나오시더니 판결결과를 말했다.

"피고인을 징역 3년에 처한다…이번에 있던 살인 2건은 무죄, 3년전에 있던 뇌물혐의에 있어서는 유죄를 판결 3년형에 처한다!"

나는 눈을 감으며 판결결과를 받아들었다.

감옥에 가기전 나때문에 먼저 하늘로 향했던 친구들의 묘지로 갔다.

나는 친구들이 좋아했던 음식을 두고 말했다.

"미안해..내가…나 때문에 죄없는 너희들이 먼저가고…나도 곧 따라갈게…"

나는 주머니에서 칼을 꺼내 눈을 감고 복부를 찔렀다.

순간 앞이 하얘지더니 정신을 잃었다.

그렇게 나의 비극은 이렇게 끝이 나게 되었다.

오늘따라 내 주변에는 소쩍새의 울음소리만이 들려왔다…